Guy zegt:

" ERVAAR EUROPA

MIJD BRUSSEL "

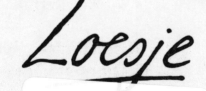

Loesje

Ve

toen ik wakker werd
dacht ik dat
de wereld begonnen was

maar later bleek
dat ik zelf wat
om m'n as draaide

Loesje

© 2004 Stichting Vrienden van Loesje
© 2004 Voor deze uitgave: A.W. Bruna Uitgevers B.V.,
Utrecht

ISBN 90 229 8831 7
NUR 310

Loesje is een gedeponeerd handelsmerk.

Het nieuwe Europa: spring je er gelijk vanaf de hoge duikplank in, maak je eerst voorzichtig je polsen en je borst nat zodat je geen hartaanval krijgt, verwacht je een warm bad of heb je koudwatervrees?

Maar als je Balkenende daar ziet staan in z'n zwembroek, badmuts en chloorbrilletje op, dan denk je toch zeker: bommetjeeeh!

EUROPA

SPRING ER MAAR IN

**OOK AL IS HET WATER KOUD
EN VOL POOLSE GROENTEN**

Loesje

**ALS EEN IDEAAL EUROPA
HET EUROPA VAN
GEÏNTEGREERDE CULTUREN IS**

**MOGEN DIE GRENZEN DAN
LEKKER OPEN STAAN**

Loesje

Ideaal Europa:
na More, Plato, verschillende religies,
Marx, Van Eeden, Owen en Harrington
steekt de EU toch wat mager af.

**WIE HEEFT
EIGENLIJK
EUROPA
ONTDEKT**

Loesje

EUROPA

**DIE WOONDE TOCH
IN GRIEKENLAND**

Loesje

**WIST JE DAT
DE GERMANEN
DE EERSTE
DEMOCRATEN WAREN**

Loesje

Europa:
daar liggen zo veel
oude dingen in de grond
dat het kraakt als je loopt.

We denken wel eens: goh, wat een fris, nieuw idee, zo'n verenigd Europa. Het tegendeel is waar, als je naar megalomane projecten uit de voorbije eeuwen kijkt.

Het eerst waren er de Romeinen, die scepter en zwaard zwaaiden over geheel Europa (op één dorpje na), het Midden-Oosten en Noord-Afrika. Hun militaire organisatie heeft eeuwen tot de verbeelding gesproken.

Karel de Grote heeft een kleine vijfhonderd jaar later Europa voorgoed veranderd door het leenmannenstelsel in te voeren. De duurzame uitbuiting door koningen is hiermee begonnen.

Het Vaticaan heeft zich weer wat later ontpopt tot gedachtepolitie met gewetensbelasting. Inlichtingendiensten van totalitaire regimes hebben altijd vol belangstelling naar de heilige inquisitie gekeken.

Napoleon heeft in een mum van tijd met heel Europa oorlog gevoerd en iedereen laten registreren met een achternaam. Zijn uiteindelijke nederlaag horen we nog regelmatig bezongen door Abba.

Hitler heeft, nadat de papieren voor de uitzetting van de joden niet rond wilden komen, de "Endlösung" bekokstoofd. Het begint er zo wel op te lijken dat alle nare dingen met een verenigd Europa zijn begonnen.

**HET SCHIJNT DAT
DE MEESTE VAN ONZE
NORMEN EN WAARDEN
IN EUROPA ZIJN ONTSTAAN
TIJDENS DE MONGOOLSE
OVERHEERSING**

Loesje

EU: terwijl de Italianen er een nieuw
Romeins imperium in zien en
de Fransen hopen op een nieuwe Napoleon,
zijn er ook nog wat oude Duitsers
die erbij fantaseren over het vierde rijk.

UITBREIDING EU

DAAR WAREN WE
IN DE ZEVENTIENDE EEUW
AL ZO GOED IN

Loesje

EEN CHRISTELIJK EUROPA

OMDAT DAT IN HET VERLEDEN
OOK ZO VREDELIEVEND EN LEUK WAS

Loesje

ZOUDEN DE FRANSEN
EN DE DUITSERS
ELKAAR

NA TWEE
WERELDOORLOGEN

NU WEL VERTROUWEN

Loesje

Na de twee wereldoorlogen in de eerste helft van de vorige eeuw werd er in Europa besloten dat men dit soort ellende niet nog een keer wilde. Na lang en rijp beraad dacht men dit te gaan bereiken door de handel tussen landen in Europa te bevorderen. Dat was het begin van van de kolen- en staalunie.

Na de Tweede Wereldoorlog was Europa echter ook afhankelijk geworden van de VS voor z'n graan, een belangrijk voedingsmiddel in alle tijden. Door het beginnen met het verstrekken van landbouwsubsidies aan Europese boeren is deze afhankelijke positie afgebouwd en later zelfs helemaal verdwenen.

Het voortdurende conflict tussen oost en west in de Koude Oorlog heeft de onderlinge band tussen de groeiende groep landen in West-Europa verder alleen nog maar versterkt.

ONAFHANKELIJK VAN DE REST VAN DE WERELD

LATEN WE DAN OOK ONZE EIGEN RIJST EN ANANASSEN GAAN VERBOUWEN

Loesje

EU
HOE LANG
VOOR ER IEMAND ROEPT
DAT WE EEN STERKE LEIDER
NODIG HEBBEN

Loesje

PRESIDENT
VAN EUROPA

HÈ NEE
GEEN FRANSE
FILMSTER

Loesje

Recht van de sterkste:
de kandidaat-voorzitters
laten we voortaan handje drukken.

UNITED STATES OF EUROPE

HMM
DOE ONS OOK EENS
ZO'N LEKKERE
WERELDLEIDER
MET COWBOYTREKJES

Berlusconi:
de man waar Bush jaloers op is.

PRESIDENT VAN EUROPA

**ER LOOPT VAST NOG ERGENS
EEN LICHT VERWAAIDE
OOST-EUROPESE DICHTER ROND
DIE WEL MET MACHT OM KAN GAAN**

Loesje

Chirac, Schröder, Blair:
die Tsjechische president
heeft nog wel wat schandaaltjes nodig
om serieus genomen te worden.

EUROPA

**WEGENS WERKZAAMHEDEN
HOUDEN WE DE MACHT
NOG EVEN IN HET WESTEN**

Loesje

Oude lidstaten tegen de nieuwe:
maar jullie volkeren hebben
nog zo'n menselijk mensbeeld.

GELIJKHEID IN DE EU

**DE GROTE EEN BEETJE MEER
DAN DE KLEINTJES**

Loesje

**HEEFT U
UW GELIJKE
AL GEVONDEN
IN DEZE WERELD**

Loesje

Kleine landen:
ben je eindelijk op de hoogte,
zit je weer niet op peil.
En ben je op peil,
zit je weer niet op koers.

**ONDERSCHEIDING
IN EUROPA**

**PAS OP VOOR
DE OVERSCHEIDING
VAN DE GROTE LANDEN**

Loesje

ONDERHANDELINGEN

**EEN LAND DAT
ANDERHALVE
COMMISSARIS EIST
IS ENG**

Loesje

Als je door de regels heen gaat kijken
dan lijkt de wereld net een venster
dan lijkt alles op een thuis
als je door de regels schrijft

je kunt een land verscheuren, maar
je kunt het ook beschrijven
er kan overal een thuis ontstaan
als je tussen regels leest

het weer kan alle kanten op
dus waarom dan ook niet verder dan dat
je kunt overal een venster vinden
met de regels aan je laars
en inkt in je bed

NEE ik wil niet meer bemoeienis van bureaucraten — Postbus 1045 6801 BA Arnhem www.loesje.nl — ik wil wel meer internationale vrienden **JA**

EU:
Brussel heeft mijn grens
al tien keer overschreden

EUROPA

BEGIN IK NET

AAN HET IDEE

TE WENNEN

IS HET AL AF

Loesje

MEER
VETORECHT
VOOR BURGERS

Loesje

**IN BRUSSEL BOUWEN
DUIZENDEN BUREAUCRATEN
AAN GRONDWETTELIJKE
ZANDKASTELEN**

EUROPA

**MEER
RONDE
GEBOUWEN**

Loesje

Nieuwe metaforen voor de EU:

– Star academy zonder opzienbarende talenten.

– 25 lidstaten: het lijkt de brugklas wel; niemand weet nog waar ie aan toe is, er lopen er een paar rond met een grote bek, maar niemand durft nog echt te zeggen wat ie denkt.

– De legbatterij: een paar figuren worden rijk terwijl de rest elkaar met afgebrande snaveltjes probeert te plukken.

– Die EU-toppen lijken wel wat op onze familiereünies. (Je kunt het op zich wel gezellig maken, maar iedereen is toch weer blij als ie naar huis mag.)

– Bindingsangst: 25 bange en onzekere landjes zitten in het donkere hoekje naar de lege dansvloer te staren.

DEMOCRATIE
IS VEEL MOOIER
OP PAPIER

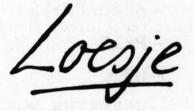

BALKENENDE

»EUROPA IS BEST BELANGRIJK«

**TENMINSTE NOG IEMAND
DIE ERIN GELOOFT**

BEST BELANGRIJK

– AARDAPPELS

– PEEN

– UIEN

– KLAPSTUK (rundvlees)

– CONDOOMS (geribbeld)

FRANSE FRIET

DUITSE BRAADWORST

TURKS FRUIT

HMM

DAT WORDT EEN

SMAKELIJK EUROPA

Loesje

EEN APPETIJTELIJK EUROPA

VERENIG U SMAKELIJK

Loesje

Fransen, Grieken, Nederlanders, Britten,
Zwitsers, Denen, Italianen:
wie heeft het kaasmaken eigenlijk uitgevonden?

EUROPESE EENHEID

**ELK LAND HEEFT
TOCH WEL EEN
NATIONALE WORST**

Loesje

EUROPA

**HET WIL MAAR GEEN
EENHEIDSWORST WORDEN**

Loesje

Verenigd Europa:
als we er na een tijd maar niet
allemaal hetzelfde uit gaan zien.

Hoi,

Ben nu in Berlijn op het terras van een oud café. Het is
een binnenplaats, dus eindelijk stilte. Al dat geraas van
auto's en al die mensen hier. Maar ja, ik wilde Berlijn
zien en een cursus alleen-op-vakantie doen.

In het hostel heb ik al wel nieuwe vrienden gemaakt:
een Italiaans meisje, twee Zweedse jongens en een
ouwe Irakees. (Waarom zijn jongens toch altijd meer in
voor een gesprek op vakantie?) We drinken samen bier
en analyseren elkaars leven tot nu toe. Vooral Bjorn
(een van die Zweden) had dat wel eens nodig, zeg. Geef
ons drie dagen en hij weet het allemaal weer precies.

Toch goed, hè, internationale vrienden, dan blijf je niet
zo bij één soort gewoontes hangen. En wat maakt het
uit als je iemand meteen het hemd van het lijf vraagt?
Je kunt toch terugzeggen dat je liever gewoon wat wilt
ouwehoeren? Ook best, als er maar een beetje dyna-
miek is. En actie. Niet van dat stijve gedoe. En niks is
zo leuk als wanneer je allemaal andere sociale regels
hebt. Dan breek je ze allemaal op den duur.

Leve de internationale vrienden!

Tot gauw.

VERENIGD EUROPA

EINDELIJK EEN
WEEKENDJE BERLIJN
OP DE OV-KAART

Loesje

Vrienden in Europa:
ik versta geen woord van wat ze zeggen,
maar gelachen dat we hebben!

IK WAS AL MENS
VOORDAT IK
EUROPEAAN WERD

Loesje

WIE BEN IK

WAT WIL IK

WAAROM IS DIT ALLEMAAL

**TIJD VOOR EEN BEZOEKJE
AAN UW IDENTITIST**

Loesje

En... welke europarlementariër is uw rolmodel?

WIE BEN IK

**WIE LEGT DAT BEGRIP
EUROPEES BURGER
EENS GOED UIT**

Loesje

Zitten een Aziaat, een Amerikaan en een Europeaan in de Eurotunnel. Vraagt die Aziaat: "Vind je dat niet eng, zo'n lange tunnel?" Zegt die Amerikaan: "Ach, onze tunnels zijn veel langer." Zegt die Europeaan: "En voor deze is afbetaald, is ie al failliet."

EUROPEANEN

VOOR EEN GOEDE MOP DAAROVER MOET JE WEL GEZAMENLIJKE EIGENSCHAPPEN HEBBEN

Loesje

EUROPA

**ZONDER IDENTITEIT
IS EEN IDENTITEITSCRISIS
OOK LASTIG**

Loesje

GOEIE GRAPPEN

**MET DE EUROPESE VERKIEZINGEN
ALS HILARISCH MIDDELPUNT**

Loesje

VERKIEZINGEN

**EN ALS U 3,95 EURO BIJBETAALT
MAG U OOK IEMAND WEGSTEMMEN**

Loesje

**VERKIEZINGEN ZIJN
BEDOELD OM DE
MACHT WEG TE GEVEN**

**WAT MAAKT
DE OPKOMST DAN UIT**

Europese eenwording:
en dan kun je niet eens
op Cyprus stemmen.

IS DEMOCRATIE

NIET GEWOON

ÉÉN GROTE

FILOSOFISCHE VRAAG

Loesje

**NIEUWE PARTIJEN
IN HET EUROPARLEMENT**

**PAS MET DIE COMMUNISTEN
IS ER ECHTE DIVERSITEIT
IN DE EUROPESE DEMOCRATIE**

**BENT U AL EEN NEOCOMMUNIST
DIE VINDT DAT IEDEREEN
EEN MILJOEN EURO
ZOU MOETEN HEBBEN**

Loesje

Communisten in het europarlement:
toch nog 1-0 voor de Sovjet-Unie.

EUROPARLEMENT

**NU MAAR HOPEN DAT
DE SEPARATISTEN NIET
DE MEERDERHEID KRIJGEN**

LET OP

**DIE CONTINENTAAL
SOCIAAL DEMOCRATEN
KUNNEN OOK
BEHOORLIJK ENG ZIJN**

Uit voorzorg voor als de christenen
echt de macht zouden grijpen in Europa
hebben veel mensen al condooms,
morning-afterpillen, abortuscocktails
en de pil ingeslagen.

CHRISTEN-DEMOCRATISCH EUROPA

ALS GOD DIT VERBOND ZAG

WAREN DE CHRISTEN-DEMOCRATEN

NOG NIET JARIG

Loesje

VOLGENS ONZE PREMIER

ZOU EUROPA EEN STERK

CHRISTELIJK MACHTSBLOK

IN DE WERELD MOETEN VORMEN

Loesje

EUROCONSERVATISME

ONDANKS DE UITBREIDING
LIJKT EUROPA
STEEDS KLEINER TE WORDEN

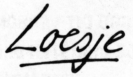

WAAROM DENKEN
ALLE EUROPESE LEIDERS
DAT CONSERVATISME
VOORUITGANG IS

CONSERVATISME

**VOORUITKIJKEN
IN DE
ACHTERUITKIJKSPIEGEL**

**CHRISTEN-
DEMOCRATISCHE
ECONOMIE**

**HANDELTJES
BOVEN DE DEKENS**

Was de EU maar zo transparant
als het overhemd van Balkenende.
Ik doorzie het systeem zoveel liever
dan zijn christen-democratische tepels.

KAPITALISME

»MET EEN EXTRA WINSTUITKERING GRAAG«

Loesje

EUROPA

ALS HET ALLEEN MAAR
OM DE CONCURRENTIE GAAT
KUNNEN WE BETER
25 APARTE LANDEN BLIJVEN

Europa is niet concurrerend genoeg:
laten we dan uit de race stappen
en het continent van de vrije tijd worden.

FUSEER
TOTDAT ALLES
GRATIS IS

Loesje

VOLGENS IKEA EN H&M

IS EUROPEANISERING

EEN ZUIVER ZWEEDS

INITIATIEF

Loesje

MIJN WOONKAMER
IS AL VOLLEDIG
GEËUROPEANISEERD

Loesje

Eén Europa:
83% van de Europese bedrijven
mag zichzelf helemaal geen
multinational meer noemen.

EUROPA

**DAAR WAAR
CORRUPTIE
LOBBY BETEKENT**

WIE HEEFT DE MACHT

**SHELL HEEFT ALVAST
WAT JAKNIKKERS
NAAR BRUSSEL GESTUURD**

Loesje

Ongeschreven regels in de Europese wandelgangen:

– Als je iets van de Duitsers gedaan wilt krijgen, praat dan met de Fransen.

– Voor de snelle slijmactie kun je het beste afwerk-kamer B112 nemen.

– Neem nooit een tweede kopje koffie, dat komt heb-berig over.

– Praat nooit over andermans geheime signalen.

– Lach altijd een beetje zuinig om de Deense grappen, ze vinden ze zelf ook niet leuk.

– Zet minstens één taal die je spreekt niet op je C.V.

HOE LOBBYAAL
BEN JIJ
EIGENLIJK

Loesje

Het kabouterbevrijdingsfront: na een doorslaand succes in Nederland heeft het KBF besloten haar grenzen te verleggen en opent een kantoor aan de Rue de la Loi in Brussel.

De europarlementariërs moeten hun verantwoordelijkheden kennen: duizenden kabouters in heel Europa zitten gevangen tussen hekjes. De eerste gesprekken met de Ierse parlementsvoorzitter Pat Lox bleken hun vruchten af te werpen: zoals een echte Ier betaamt, trok hij zich het lot van de magische wezens erg aan. Hij beloofde zich sterk te maken voor een verbod op kabouters in tuinen met hekjes. Want zonder begrenzing werken zijn magische krachten pas echt goed.

DE MEESTE

EUROPESE SPROOKJES

LOPEN GOED AF

Loesje

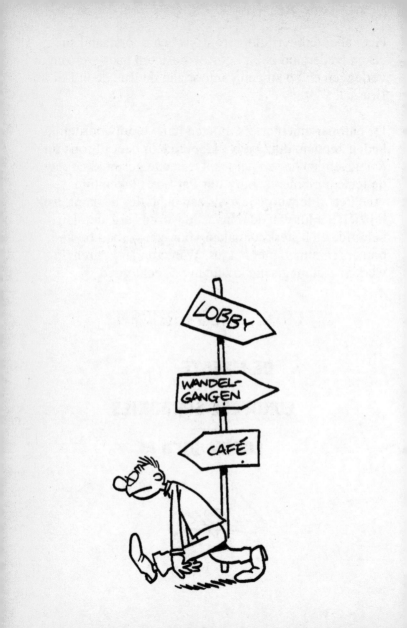

LOBBYGROEP

**HET SCHIJNT DAT
DIE BACTERIËN VAN MARS
OOK STEEDS
MEER INVLOED KRIJGEN**

Loesje

Tactieken om landen te overtuigen:

– Bij Duitsland werkt het braadworstprincipe het best: met een groot glas bier en een gezamenlijk lied smaakt alles wel best.
– Portugezen liggen wat moeilijker. Die kun je nog het beste uitspelen tegen Spanje: maar de Spanjaarden stemmen hier ook voor.
– Italië wordt altijd overtuigd met de macaronimethode: je hakt alles klein, je bakt het met veel olie en saus, serveren als iets lekkers.
– Denemarken is met "de kleine zeemeermin"-theorie net niet over de grens getrokken om mee te doen met de euro: uiteindelijk lost alles wel op in het schuim der golven.
– Bij de Engelsen hoef je ook niet met iets culinairs aan te komen, dus werkt de aloude blote-billentactiek daar nog het best: "Als jij hiermee instemt, stuur ik die foto's van jou in jarretels niet naar *The Sun*."
– Finland en Zweden zijn vaak al tevreden met een lekker flesje wodka, dat is daar nogal duur, namelijk.
– Voor Frankrijk kan het qua eten niet raar genoeg zijn. Geen wonder dat ze gevoelig zijn voor nieuwe recepten: dit besluit moet je zien als darmen, maar dan wel verpakt in heerlijke pens.
– Bij Spanje ligt het voor de hand om het in de tapas-manier te zoeken, maar het werkt beter als je zegt dat de grote EU-landen: Engeland, Frankrijk, Duitsland, en de VS ook voor zijn. Ze zijn nogal bang om buiten de boot te vallen, namelijk. Zinspelen op landbouwsubsidies werkt ook tamelijk doeltreffend.

- Voor Nederland zoek je het in de erwtensoeptactiek: alle argumenten net zolang kapotkoken tot het nergens meer naar smaakt.
- Oostenrijk is altijd een lastige, maar de jodelmethode is tot nog toe onovertroffen: het maakt niet zoveel uit wat je vertelt, als je maar regelmatig van toonhoogte wisselt.
- Luxemburg is natuurlijk een kleintje, maar vlak ze niet uit. Gelukkig doen ze nogal veel voor bepaalde privileges die ze binnen de EU hebben. Goedkope sigaretten en drank trekken nog altijd veel dagjesmensen. En als ze een keer echt dwars liggen herinneren we ze aan de vorige keer dat ze dat deden, toen ze nog wel een bankgeheim mochten hebben.
- In Griekenland en Ierland wil men vooral niet te veel als de rand van de EU worden gezien, dus hoezeer die landen ook verschillen, voor het *living-on-the-edge-*argument zijn beide landen erg gevoelig: pas maar op dat je niet van de kaart valt.
- België wil zo graag niet corrupt overkomen, dat het oprechtheidprincipe het beste werkt: als jullie maar wel de waarheid spreken en er zelf niks aan verdienen.

Voor die nieuwe landen is het nog maar even afwachten waarvoor ze overstag gaan.

Lieve collega's,

Hier ben ik dan uiteindelijk op mijn prijsvakantie op Malta. Ik ben nog steeds dankbaar dat jullie mij naar Cash en Carlo hebben gestuurd, anders zou ik hier niet zijn, in de Maltezer regen.

Er is absoluut niks te doen hier voordat de toetredingsfeestelijkheden beginnen. Ik heb dus maar een roeibootje gehuurd en zit nu op een eilandje in een vervuilde rivier. Het stinkt naar bedorven eieren en mijn euro-optimisme is onder deze omstandigheden moeilijk te handhaven. Er komen allerlei associaties met eieren en Europa bij me op. De toetreding van Malta en al die andere landen maakt de omelet van Europese eenwording alleen maar groter en moeilijker om op te eten.

En toch, toch zijn de Maltezen net aardige kabouters met hun puntmutsjes. Met de nieuwe vrienden hier en die Sloveense boeren, die ik tijdens mijn vorige vakantie heb ontmoet, vormen we een grote Europese vriendenkring. Lang leve Europa en donderdagen zoals deze!

Nu ga ik verder roeien. Tot op het werk.

Groeten,
jullie loyale collega op Malta.

**WOW
IS DIT OOK EUROPA**

**RIEP NEEF KAREL UIT
TOEN HEM DE MALTEZER
BLOEMENKRANS
OM DE NEK WERD GEHANGEN**

Loesje

**EUROPA ONTDEKKEN
BEGINT MET EEN PAAR
GOEDE WANDELSCHOENEN**

Loesje

**EUROPA IS
BEST EEN AARDIGE
ACHTERTUIN**

EUROPA

WIL JE DE HELE TIJD WEG

BLIJKEN ER OOK BEST

LEUKE MENSEN TE WONEN

Loesje

IK BESCHOUW DIE EU

VOORAL ALS UITVALSBASIS

VOOR HET BEZOEK

AAN VERRE

VREEMDE LANDEN

Loesje

Wladiwostok, 17.36 uur, dinsdag:
na twee weken in die trein,
neemt de kroegbaas geen euro's aan.

NATIONALISTEN OPGELET

VANUIT JE EIGEN LAND
IS HET MAAR ÉÉN STAP
DE WERELD IN

Loesje

**NA EEN KROEGENTOCHT
MET POOLSE LERAREN
BELGISCHE BOEREN
EN EEN PAAR
KROATISCHE DORPSGEKKEN
LIET HIJ Z'N NATIONALISME LOS**

Loesje

**ALS JE AL DIE OUDE GRENSSTENEN
VAN BINNEN DE EU
OP ELKAAR STAPELT
HEB JE EEN AARDIGE KLAAGMUUR
VOOR DIE OUDERWETSE NATIONALISTEN**

Loesje

Trots op je eigen land in de EU:
zelfs op je eigen regering
die Europese richtlijnen uitvoert.

Nederland, o Nederland
jij land van brede wegen
en lange files
lage beurzen
en dikke kinderen

jij land van uitzettingen
en eindeloze bouwfraudes
land van megakippenhokken
en gortdroge staatslieden

Nederland, o Nederland
het water komt reeds
tot aan de dijk

Legofilius Peppeldam

Wetenschappelijke verrassing:
blijken die nationale volksgeesten
zich helemaal niet in onze genen
te hebben vastgezet.

GELIJKHEID IN DE EU

ALS IK MAAR NIET
MET EEN DUITSER
GEASSOCIEERD WORD

EUROPESE IDENTITEIT

**DE ECHTE NEDERLANDSE
EUROPEAAN
JUICHT STRAKS OOK
VOOR EEN DOELPUNT
VAN DUITSLAND**

EUROPEES VOETBALTEAM

**TOEN WILDEN DIE IEREN
OOK EEN RUGBYTEAM
EN DE ZWEDEN
EEN IJSHOCKEYPLOEG**

Loesje

IDENTITEIT

IN DE POLDER IS DAT

EEN STUK MAKKELIJKER

DAN IN DE GROTE STEDEN

Dorpen zijn vervelend
beklemmend en te klein
daar moet je uit verdwenen zijn
voor jij erin verdwijnt

dat heb ik ook gedaan dus
weg kleinburgerlijkheid
ben ik in de stad verdwenen
en raakte de dorpsgeest kwijt

totdat ie mij op kwam zoeken
en mij jaagde naar dit oord
mij hieraan verbonden heeft
met een onzichtbaar koord

nog steeds zijn mijn gedachten
bij het "Vitáme Vax"
dat mij eraan herinnert dat
ik daar altijd welkom was

**DORPSGEESTEN
ZIJN NOG
LEVENDIG**

Loesje

**DOODSE DORPJES
ZIJN HET MAKKELIJKST
OP TE SCHRIKKEN**

**het
broertje
van** *Loesje*

Dorpsgeest: is dat de metropool in de mens?

ALS DE WERELD
EEN DORP WORDT
MAAK DAN VAN JE STRAAT
EEN WERELDSTAD

Loesje

In *the global village* heeft Europa één
straatje. De bewoners van de andere
straatjes komen vaak langs om te kijken
hoe dronken Europeanen weer ruzie
maken over vlaggetjes, muntjes en hek-
ken. "Rare jongens, die Europeanen,"
zeggen ze dan.

ALS JE DE WERELD NEEMT
IS ZO´N EUROPESE DROOM
ECHT EEN DORPSMENTALITEIT

Loesje

EUROPA

DROOM IN DERTIG TALEN
EN BELEEF JE VERHALEN

Loesje

DIE DORPJES
MET EEN BORDJE
»WELKOM«
ZIJN HET LEUKST

Loesje

Als iedereen zo gastvrij als de Ieren was,
hadden we nu geen Europees spreidingsbeleid.

Er ging eens een Pool naar Ierland
die dacht: da's een ideaal bierland
maar alle Ieren schreeuwden 'm na
geef ons wat van je wodka
nu is het een algemeen plezierland

TOEN DE POLEN MET
ZELFGESTOOKTE WODKA
AANKWAMEN

WERD DAT QUOTUM
SNEL VERRUIMD

Loesje

EUROPA

DE OPEN GRENZEN
WERKEN ALLEEN
MET WACHTWOORD

POOLSE WERKNEMERS

»ALS ZE HIER ALLEEN KOMEN
OM UITGEBUIT TE WORDEN
IS ER NIKS AAN DE HAND«

de minister
van *Loesje*

"De Polen komen."
Ja, dat zeiden ze van de Russen twintig jaar geleden ook.

NEE

IK GA NIET

NAAR EEN LAND

WAAR MENSEN

HUN EIGEN ETEN

NIET WILLEN OOGSTEN

de Pool
van *Loesje*

ASPERGES STEKEN
IN LIMBURG

IK PLUK LIEVER DE DAG
IN POLEN

Loesje

Kiezen of delen:
óf ruim baan voor de EU,
óf zelf asperges steken.

EU-IDEOLOGIE

**WERKEN EN KOPEN
TOT JE ERBIJ NEERVALT**

Loesje

**ALS WERKLOOSHEID
ZO'N PROBLEEM IS
MOETEN WE HET WERK
MAAR EENS HERWAARDEREN**

Loesje

**HEBBEN ZE HEEL
POLEN AL VOLGEBOUWD**

**DAT DIE BOUWVAKKERS
HIER ZO NODIG
AAN DE SLAG MOETEN**

DE VIJAND

**DAT ZIJN TOCH
DIE 20.000
OOST-EUROPESE
ELEKTRICIENS**

**EN TOEN ER HIER
GEEN WERK MEER WAS**

**GING IEDEREEN
MAAR OP VAKANTIE**

Loesje

Cultuur is het moois
wat je zoekt op vakantie
't is te zien en te doen
voor iedereen
vanaf een bankje
een muurtje of de kade

sla je die geest steeds gade
kom op en generaliseer
en idealiseer
je denkt het niet alleen, maar
het ís hier ook beter dan thuis

ja, hou dat vast
en neem dat mee
zet iedereen thuis weer
anders neer
poets je collega's op
heroriënteer je op je klasgenoten
vertel je vrienden wat zo leuk was
zeg je vriendje wat zo fijn was
cultuur
snuif
en verander
steeds weer

Feesten in Roemenië,
een kater in Letland,
een zoen in Spanje:
dat noem ik pas Europa ervaren.

UITBREIDING EU

JE MOET STEEDS
VERDER REIZEN VOOR
WAT ONGEORGANISEERD
AVONTUUR

Loesje

OM ECHT
VREEMDE CULTUREN
TE LEREN KENNEN
GA JE OP BEZOEK BIJ
EEN WILLEKEURIGE
AMBTENAAR

Loesje

Als oma thuis is en de postbode heeft tijd, drinken ze samen een kopje koffie. Oma vindt hem een lieve man, hij heeft van die weerbarstige, harige oren en een zangerige stem. De postbode vindt het ook altijd leuk om oma weer te zien. En als oma op reis is, stuurt ze altijd kaartjes naar haar eigen adres met "voor jou" erop. Die vindt de postbode dan 's ochtends bij zijn wijk.

Oma heeft heel de wereld bijna gezien. Maar nu is ze even thuis en ze zit met de postbode samen aan de koffie.
"Ik hou eigenlijk wel van souvenirs," bekent oma, "soms koop ik ze wel, maar ik vind ze ook vaak. Kijk deze zigeunerhoed uit Roemenië. En hier, een oud sigarettenmachientje uit Slowakije." De postbode zet de hoed op en draait aan het sigarettenmachientje. Hij voelt zich wel exotisch zo.
"Wil je mijn kast zien, met bijzondere dingen?" vraagt oma.

Even later zitten ze op de grond met allemaal raadselachtige spulletjes om zich heen.
"De wereld mag nooit gelijkvormig worden," zegt oma.
"Of een eenheidsworst," voegt de postbode toe.
"Of dat maar één soort dingen overleeft," zegt oma weer.
"Nee," zegt de postbode, "zo mag het nooit."
"Kom," stelt oma voor, "laten we een borrel drinken op het grote verschil."

NA EEN UURTJE

IN DIE ESTLANDSE KROEG

HAD OMA

HAAR VERZAMELING

FINSE EURO'S

ZO COMPLEET

Loesje

MINDER EURO

MEER EUROPA

Loesje

EURO AFSCHAFFEN

**ECONOMIE
MOET ROLLEN**

Loesje

De euro afschaffen oké,
maar waarom moet er dan weer
iets voor in de plaats komen?

De normen:
eerst de economie dan ik.
De waarden:
uitgedrukt in euro's.

DANKZIJ DE EURO

IS ARMOEDE WEER

HEEL GEWOON

GEWORDEN

IN NEDERLAND

Loesje

Eurozone:
dat gedeelte in de supermarkt
voor mensen die
dankzij de euro
niet meer rond kunnen komen.

**BESTAAT ER AL
EEN B-MERK EURO**

Loesje

**WE HEBBEN
DE EURO**

**NU NOG
DE TOUWTJES**

Loesje

HARDE EURO

**DIE MUNTEN
DAN TOCH**

Loesje

**ALS DE DOLLAR
NOG EEN BEETJE DAALT
KAN EUROPA
BUSH KOPEN**

Loesje

Volgens mij zorgen minder dollars
voor meer democratie.

EU VERSUS VS

ZO'N OUDER-KIND-RELATIE
BLIJFT ALTIJD
WAT GEVOELIG LIGGEN

Loesje

EU VERSUS VS

STRAKS KRIJGEN WE
NOG MACHTSBLOKKEN
TUSSEN DE RECLAME DOOR

Loesje

NIEUWE GEBRUIKEN

**SLOWAAKSE SOAPSERIES
ZIJN VAST GOEDKOPER
DAN AMERIKAANSE**

Loesje

POLLYWOOD

**DIE POLKAFILMS
WORDEN
STEEDS HIPPER**

Loesje

WAAR BLIJVEN

DIE POOLSE STERREN

IN RTL-BOULEVARD

Nieuwe hype:
straks gaat iedereen naar Praag
om ontdekt te worden.

WEET IEMAND NOG

EEN VRIENDELIJK

SLOWAAKS GASTGEZIN

VOOR ME

Loesje

EUROPA

EN ALS JE BEDJE
NIET GESPREID LIGT
KUN JE ALTIJD NOG
GASTGEZIN WORDEN

Loesje

EUROPA

VRIENDEN MAKEN
VRIENDEN BEZOEKEN
EN AF EN TOE THUIS KIJKEN
OF M'N HUISJE ER NOG STAAT

Hadden we onze slaapzakken meegenomen,
zijn die Slovenen helemaal beledigd:
"We gaan niet naar de jungle, hoor."

Zeeën, polders, bergen
wouden vol met groen
wat zou al dat natuurschoon
zonder mensen moeten doen

mensen die bewonderen
zwemmen, klimmen, zijn
gewoon een beetje rondhangen
plezier voor groot en klein

bewonder dus de wereld
het land waarin je leeft
neem wat van de aarde
maar niet meer dan je geeft

EUROPA'S GROENE HART

ZULLEN WE VAN BELGIË EEN GROOT EUROPEES NATUURPARK MAKEN

HOE MOET DAT MET DE MILIEUVERVUILING NU WE HEM NIET MEER KUNNEN EXPORTEREN NAAR OOST-EUROPA

Europees milieu:
ach, die nieuwe lidstaten hebben toch geen geld
om hun natuurgebieden te industrialiseren.

CO2-UITSTOOT

JE ZOU TOCH ZEGGEN
DAT NEDERLAND
HÉT EMIGRATIELAND
BIJ UITSTEK IS

Europees milieu:
zolang de rest van de wereld
nog geen kap over ons heen wil bouwen,
gaat het toch best goed.

EUROPEES MILIEU

LATEN WE NU EENS
GEEN VOORBEELD NEMEN
AAN BUSH

Loesje

**DE UITBREIDING
VAN HET EUROPESE WEER
WANT WIE VERWACHT
ER NOU EEN TORNADO
IN DECEMBER**

Loesje

**DE GEMIDDELDE TEMPERATUUR
IN ONS LAND
STIJGT BEHOORLIJK
ALS WE SPANJE
MOGEN MEETELLEN**

Loesje

Europees weer:
nog meer overstromingen, past dat dan?

BIOLOGISCH BOEREN

**MISSCHIEN KUNNEN WE
NOG WAT LEREN
VAN DE OOST-EUROPESE
KEUTERBOER**

Landbouwsubsidies:
terwijl Poolse boeren zich verkneuteren
over een paar centen,
trekt Spanje pas echt aan het langste eind.

LANDBOUWSUBSIDIES

GOED
WE ZIJN NU ONAFHANKELIJK
VOOR WAT ONS ETEN BETREFT

TIJD OM VERDER TE KIJKEN
EN DE WERELD TE VOEDEN

Loesje

EU is bang voor Oost-Europese groenten,
Aziatische kippen en Afrikaanse migranten:
misschien hebben we therapie nodig,
in plaats van strengere regels.

LANDBOUWCONCURRENTIE
UIT OOST-EUROPA

EN DE TOMATEN EN DE PAPRIKA'S
ZIJN ER NOG ECHT LEKKERDER OOK

Loesje

GROENTEOORLOG
OOST- EN WEST-EUROPA

IN MIJN MAAG GEEN BONJE

Loesje

**VREES VOOR
OOST-EUROPESE
GROENTEN**

**GOEDKOOP ETEN
IS INDERDAAD
ENGER DAN OORLOG**

BRINKHORST TEGEN ROEMENIË

**»ZOLANG JULLIE TOMATEN
NOG NIET NAAR
WATER SMAKEN
MAG JE ER NIET BIJ«**

Loesje

Die Roemenen willen ook helemaal niet bij de unie,
het zijn hun biggen.

REGELS OPLEGGEN

**ZIJN WIJ DAN BETER
DAN DIE NIEUWE LANDEN**

Loesje

**ETHISCH
SUPERIORITEITSGEVOEL**

**»GA AH-MAGNETRON-EENPANS-
SNELKOOK-AARDAPPELEN-
MET-BIEFSTUK ETEN
DOMME SLOWAAK«**

Loesje

Ethisch superioriteitsgevoel:
de mensen in die nieuwe lidstaten
hebben helemaal geen mening, die hebben regels.

**IN ETHICALAND
BEN JE SNEL
DE LUL**

het
broertje
van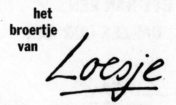

**IN SOMMIGE LANDEN
IS HET HEEL GEWOON
DAT JE DE ACHTERDEUR
OPENLAAT**

**DE BUREN MOCHTEN
EENS LANGSKOMEN**

**ALS JE DENKT DAT
HET IN NEDERLAND
BETER IS GEREGELD
DAN IN ESTLAND**

**BEL DAN EENS
OM ZES UUR AAN**

Als je bedenkt dat in veel landen
twee warme maaltijden per dag normaal is,
wordt Nederland een stuk minder aantrekkelijk.

EU

**DIE TYPISCHE
SLOVEENSE GASTVRIJHEID
ZAL ER NOG WEL
AAN MOETEN GELOVEN**

NORMEN EN WAARDEN

**EEN BOTERHAM
MET TEVREDENHEID
PROBEER DAT MAAR
EENS TE VERTALEN**

Normen en waarden:
van die gezinnen waar je eerst
een boterham hartig moet,
voor je zoet mag.

NEDERLANDSE

LUNCHBOTERHAMMEN

ZIJN BEST EXOTISCH

IN BULGARIJE

Weten, weten
willen weten
waarom doe jij dit
en ik dat zo
vraag maar eens raak
aan al die mensen
vraag dan maar eens
hoe dat dan zit

weten, weten
weet te waarderen
al die verschillen
in dat geleef
en probeer te snappen
waarom die ander
dat net zó doet
en jij niet

VREEMDE NORMEN
EN WAARDEN

TANTE RIE HEEFT
NOG STEEDS MOEITE
MET DAT TWEEDE KOEKJE
BIJ DAT ENE KOPJE KOFFIE

Loesje

EN TANTE RIE BEGON
EEN BESCHAVINGSOFFENSIEF
DOOR DE HOLLANDSE
GEZELLIGHEID
TE PROMOTEN

Loesje

Tante Rie was het beu, al die droge praatjes van al die saaie, oude mannen. Ze heeft haar eigen partij opgericht: Rie Zonder Grenzen. De RZG, voor samen naar een gezellig Europa.

Haar eerste programmapunt: wie doet hier eigenlijk de afwas?

Rie Zonder Grenzen:
wat buitenparlementair betekent,
weet ze niet,
maar ze voert wel veel actie.

UITBREIDING EU

EN TANTE RIE NODIGDE
EERST ALLE NIEUWE LIDSTATEN
MAAR EENS UIT OP DE KOFFIE

Loesje

DE RZG ZIET EROP TOE
DAT HET GELD VOOR EUROPA
GOED WORDT GEBRUIKT

Loesje

**IN DIE KRINGEN IS
ER ALTIJD WEL EENTJE
DIE DE SFEER BEDERFT**

tante
Rie
van *Loesje*

**STABILITEITSPACT
BIJ TANTE RIE**

**»HERMAN KAN
DE POT OP**

IK BEN DE BAAS«

Loesje

**BEGROTINGSTEKORT IN
DUITSLAND EN FRANKRIJK**

**EN STIEKEM DENKT
HEEL NEDERLAND JALOERS**

**»ZOU ONZE REGERING
MAAR WEIGEREN ZO VEEL
TE BEZUINIGEN«**

**MISSCHIEN MOETEN WIJ
OOK MAAR EENS GAAN BEGROTEN
MET DE FRANSE SLAG**

Loesje

Stabiliteitspact: geld moet evenwichtig rollen.

VOLGENDE KEER

TEKENEN WE DAT

STABILITEITSPACT

TOCH GEWOON IN

DE TOREN VAN PISA

Loesje

Stabiliteitspact: een straf van god,
omdat Vaticaanstad niet in DING FLOF BIPS zit.

ZALM

**»WAAROM GAAT DIE STROOM
IN EUROPA ALTIJD
DE VERKEERDE KANT OP«**

Loesje

**ALS JE ZALM
IN EUROPA BENT**

**PAS OP VOOR
DE HAAIEN**

Loesje

Zalm:
als er iemand nooit meer
directeur wordt van de Europese bank,
is hij dat wel.

ZOUDEN AL DIE EUROPESE POLITICI

OPEENS DIKKE VRIENDEN WORDEN

ALS ZE EEN ONSTABILITEITSPACT

AFSLUITEN

EU:
dus als Duitsland minder bezuinigt,
moeten wij meer hypotheek betalen.

STABILITEITSPACT

DUITSLAND EN FRANKRIJK

GEVEN DE REST NOG

EEN KUS NA

Wedstrijdje:
wie heeft er voor 1 september
als eerste met iemand
uit alle nieuwe lidstaten gezoend.

HIJ ZOENDE GOED

**MAAR DAT WIL
NOG NIET ZEGGEN
DAT IK ME
LAAT AFLEBBEREN**

ZE ZOENDE BELABBERD

MAAR IN DE KROEG

TROK ZE WEL

ALLE AANDACHT

het
broertje
van *Loesje*

TOEN ZE VROEG

»BLIJF JE SLAPEN«

DACHT IK EERST NOG

DAT HET ZOMAAR WAS

het broertje
van *Loesje*

DE ZON IN JE GEZICHT

**EEN SLAPENDE
SLOWAAK NAAST JE**

**DE HELE DAG
IN HET VOORUITZICHT**

**WAKKER WORDEN HOEFT
NIET VERVELEND TE ZIJN**

Loesje

Verenigd Europa:
zo kom je nooit meer
als vanzelfsprekend
van je vakantieliefde af.

ÉÉN EUROPESE TAAL

DIE GAAN ONZE KINDEREN
VANZELF WEL SPREKEN

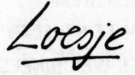

Eén Europese taal:
nog minder kans om te winnen bij tien voor taal.

Gerucht:
de eerste honderd Nederlandse subsidieaanvragen
worden in Brussel altijd goedgekeurd,
want ze hebben niet genoeg vertalers.

EUROPESE GRONDWET

OM IEDEREEN
GELIJK TE STELLEN
HEBBEN WE CHINEES
ALS OFFICIËLE TAAL
GEKOZEN

Loesje

EUROPESE GRONDWET

**WAAROM KOPIËREN WE
NIET GEWOON
DE RECHTEN VAN DE MENS**

Loesje

EUROPESE GRONDWET

**NEE
DA'S NIET VOOR JOU
DA'S VOOR DE HANDEL**

Loesje

EUROPESE GRONDWET

DE NATTE DROOM
VAN ELKE BUREAUCRAAT

Loesje

EUROPESE
GRONDWET

VOOR VOLK
EN FABELLAND

Loesje

Europese grondwet, regel 1: de VS hoort daar niet bij.

EUROPESE GRONDWET

EN TOEN BLEEK
DAT DONNER ONS
ONZE PRIVACY
MOEST TERUGGEVEN

Loesje

BALKENENDE
»ACH
ZO'N GRONDWETJE
WE HEBBEN
DE BIJBEL TOCH«

Loesje

BERLUSCONI

**»ZOLANG WE GEEN
EUROPESE GRONDWET HEBBEN
IS HET TOCH GEWOON
ANARCHIE«**

Loesje

EN TOEN HEEL EUROPA

DE GRONDWET AFWEES

VERKLAARDE BRUSSEL

ZICH ONAFHANKELIJK

Loesje

De vrijstaat van 'ambtenaren tegen orde' in Brussel wordt zorgvuldig uit de media gehouden, omdat het anders de moraal van de andere ambtenaren aantast.

ER MOET MEER

ONTREGELD WORDEN

IN EUROPA

**MET MEER EN MEER REGELS
BLAAS JE HET ANARCHISME
WEL WEER NIEUW LEVEN IN**

**OPA KON AL DIE NIEUWE
ANARCHISTISCHE STROMINGEN
NIET MEER BOLWERKEN**

Loesje

In steeds meer landen ontstaan vrijstaten
van hoofddoekjesdraagsters.

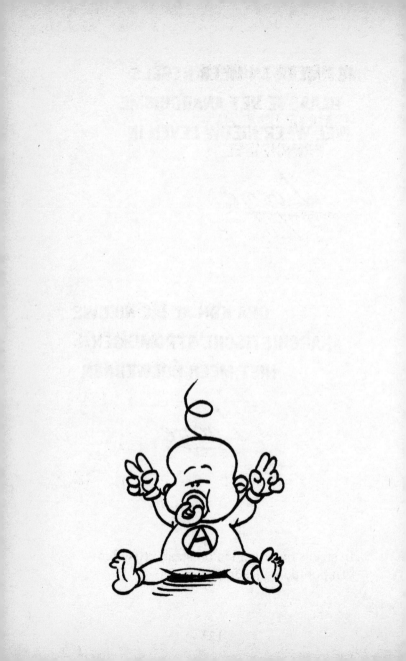

IK BEN WEL HEFTIG

**MAAR NIET ZO
PRINCIPIEEL**

het
broertje
van *Loesje*

**DE MEEST
WAARACHTIGE
ANARCHIST
DIE IK KEN**

**ONTKENT
DAT IE HET IS**

Loesje

Niemand weet dat er binnen Europa nog een staat over is waarvoor je geen paspoort nodig hebt. Dat is de staat van Zijn. En in Zijn mag je wezen wie je bent. Je mag er couscous eten zonder het land uit te moeten. Iedereen is er welkom en iedereen is er gelukkig.

De buurlanden zijn jaloers. Die willen dat Zijn samengaat met de rest van Europa. Maar dat kan natuurlijk niet, want wat is, kan niet zijn geweest.

VRIJSTATEN

OMDAT JE DIE
ONAFHANKELIJKE DENKERS
TOCH ERGENS KWIJT MOET

Loesje

ERGENS IN BRUSSEL

STAAT EEN KUNSTENAAR

HET NIEUWE VIJANDSBEELD

TE CREËREN

Loesje

Gesprek, opgevangen in de wandelgangen van de Europese commissie:

– En, meneer Prodi, wat denkt u van de Chinezen, behoorlijk veel, klein en hun eten is toch niet zo lekker?
– Nee, die zijn zo ver weg en veel mensen vinden ze grappig.
– Rusland dan, dichterbij, enigszins autoritair en hun kernwapens zijn doorgeroest?
– Ruzie met een oud-KGB-man? Die Poetin is volgens mij tot alles in staat.
– Het Midden-Oosten dan, meneer Prodi, zitten daar geen goede vijanden?
– Tja, zou kunnen. Ware het niet dat ik Bush heb beloofd dat we ons daar niet te veel mee zouden bemoeien.
– Hmm, even denken dan. Zuid-Amerika is te ver weg, Australië is te agressief, Canada te vriendelijk, Centraal-Amerika te onbekend, Afrika vecht nooit terug, India is te religieus. Wat dacht u van de VS?
– Maar dat is hét machtsblok in de wereld op het ogenblik.
– Precies, we zouden de mensheid een dienst bewijzen.
– Ik zal het eens in de commissie gooien.

ISLAM

**WIE WIL DIE EUROPESE
REGERINGSLEIDERS
EVEN DUIDELIJK MAKEN
DAT JE HET VIJANDSBEELD
BUITEN DE EU MOET ZOEKEN**

Loesje

**VIJANDSBEELD EU

NEEM DAN TENMINSTE
EEN VOLWAARDIGE
TEGENSTANDER**

Met die oude Oostbloklanden in de unie
moeten we steeds verder zoeken
voor een behoorlijk vijandsbeeld.

VIJANDSBEELD EU

MAAR HET GING TOCH
OM VRIENDEN
MET ELKAAR TE ZIJN

Loesje

VIJANDSBEELD

EN TOCH HEB IK
DE MEESTE LAST
VAN MIJN EIGEN BUREN

Loesje

EU

**»ALS JE ER ZONODIG
BUITEN WILT BLIJVEN
RICHT JE TOCH LEKKER
JE EIGEN UNIE OP
WIJ ANNEXEREN 'M WEL«**

EU

**EEN UITBREIDING
IS AL EEN BEGIN**

UITBREIDING

ZO HAAL JE
IN ÉÉN KEER
EEN BAK CULTUUR
IN HUIS

UITBREIDING EUROPA

HET VERRE OOSTEN
KOMT STEEDS DICHTERBIJ

EU:
persoonlijk ben ik pas tevreden
als de buitengrenzen elkaar raken
bij Nieuw Zeeland.

EU

HET HEELAL

HEEFT TE VEEL STERREN

VOOR OP ZO'N KLEINE VLAG

Loesje

ÉÉN MEI 2004

MIJN RODE VLAG
** MET VIJFENTWINTIG**
GELE STERREN
WAS HELAAS DE ENIGE

de opa van

Loesje

EENWORDING

MISSCHIEN MOETEN WE
DE STERREN OP DE VLAG
NU MAAR GAAN STAPELEN

Loesje

Roemenië:
"Wij hebben wel al langer sterren op onze vlag."

PRODI

»WE HEBBEN ÉÉN MEI
OOK ALLEEN MAAR GEKOZEN
OM DIE NIEUWELINGEN
EEN BEETJE TE PESTEN«

ÉÉN MEI

IS HET DAG VAN DE ARBEID

MAG JE NOG NIET WERKEN

WAAR JE WILT

Loesje

ÉÉN MEI 2004

DE DAG DAT DE
EUROPESE WERKLOOSHEID
IN ÉÉN KLAP
VERDRIEVOUDIGDE

Loesje

Eén mei:
dag van de wodka,
dag van de palinka,
dag van de slivovice.

VOOR
BUITENLANDSE BOEREN
IS ÓNS ETEN
JUIST WEER HEEL GEK

Met lange tanden zat de Slowaakse boer
op het eenwordingsfeest
de snert naar binnen te werken.

TIEN NIEUWE
LIDSTATEN EU

EN WIE ORGANISEERT
HET FEESTJE

Loesje

EUROPA

EN NET ALS ONZE
NIEUWE VRIENDEN
ERBIJ KOMEN

HEBBEN WE EEN
EUROSCEPTISCHE
REGERING

Loesje

ER WAART

EEN FEEST

DOOR EUROPA

Je kunt wel blijven menen
dat iedereen zich maar schikken moet
je kunt wel blijven wenen
dat iedereen doet wat jij graag doet

Straks met zoveel grenzen
is het tijd voor geen verschil
het is tijd geworden voor waardering
van de eigen vrije wil

Men zegt je moet niet zo beraden
over wat nou goed is en wat nou slecht
daar waar mensen feesten bouwen
daar is een unie pas echt heel echt

STEL JE VOOR

DAT DE NIEUWE

LIDSTATEN SNELLER

IN DE EU INTEGREREN

DAN WIJ

INTEGREREN DOE JE

MET 5 KM/UUR

OF WAREN HET MILES

Integreren in de EU:
terwijl de rest allang één grondwet en één leger had,
ging de discussie in Groot-Brittannië
over de invoering van de euro.

ALS GROOT BRITTANNIË

NIET BIJ HET CONTINENT WIL HOREN

NIET DE EURO WIL

MAAR WEL DE MACHT

DOEN ZE HET BEST AARDIG

Loesje

ER ZIJN VAN DIE DAGEN

DAT ELKE EU-LIDSTAAT

WEL OP EEN EILANDJE

ZOU WILLEN LIGGEN

Loesje

HOE WORD IK
EEN IDEALE
EUROPEAAN

Loesje

Integreren in de EU: of blijf je liever veilig thuis zitten?

NIEUWE GEBRUIKEN

ZOLANG ZE
TE VERTEREN
ZIJN

oom
Herman
van *Loesje*

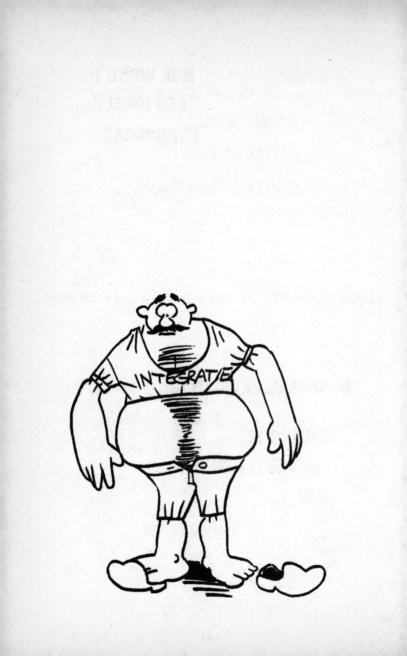

BALKAN

OMDAT MOSTERD
NA DE MAALTIJD
GEWOON LEKKERDER IS

Loesje

DE WORST- EN KAASSCHOTEL
IN MIJN STAMKROEG
HEET OPEENS
BOERENTAPAS

neef
Karel van *Loesje*

Bighappen, peuter-in-de-put, speerzitten,
turfsteken, kipknallen:
de meeste Nederlandse dorpjes
moesten ook wel een paar tradities opgeven
voor we in de EU mochten.

EU-RICHTLIJNEN

DE IEREN MOGEN

OOK GEEN KOEIEN MEER

OMVER DUWEN

ACH

NOG TWINTIG JAAR

EN WE VINDEN HET GEK

ALS IEMAND NAAST KERST

EN SINTERKLAAS

GEEN SUIKERFEEST VIERT

DE EUROPESE UNIE
VERGADERT AL EEN WEEK
OVER DE HOEVEELHEID
NIEUWE FEESTDAGEN

Loesje

MET EEN VERENIGD
EUROPEES KONINGSHUIS
DOET NIEMAND
MEER MOEILIJK OVER
EEN KONINGINNEDAGJE
MEER OF MINDER

Loesje

**ÉÉN EUROPEES
KONINGSHUIS**

**VAN DE ITALIANEN
HAD FRISO VAST
TOESTEMMING GEKREGEN**

ÉÉN EUROPEES KONINGSHUIS

**WANNEER WE NIET VAN
ONZE TRADITIES AFKUNNEN**

INTEGREREN WE ZE IN DE EU

Loesje

**ÉÉN EUROPEES
KONINGSHUIS**

**MET MIJ ALS
HARTENKONING**

het
broertje
van *Loesje*

EUROPESE LIEFDES

**EEN VAN DE WEINIGE DINGEN
WAAR DE KONINGSHUIZEN
IN VOOROP LOPEN**

Loesje

Subsidieaanvraag:

Geachte meneer, mevrouw,

Op een uitwisseling in Zweden heb ik Ieva uit Litouwen leren kennen. Onze liefde voor elkaar is grenzeloos, maar ons inkomen niet. Twintig minuten bellen vanuit Hongarije naar Litouwen kost al gauw tien euro. Om over een trein- of vliegticket nog maar niet te spreken.

Liefde over de grens lijkt me de beste manier om Europa te laten integreren. Vandaar mijn subsidieverzoek: wilt u onze telefoon- en reiskosten betalen?

Bijgevoegd vindt u de begroting.

Alvast bedankt,
Christiaan

UITWISSELINGEN

**IN ELK LAND
KOM JE WEER DEZELFDE
SUBSIDIABELE GEZICHTEN
TEGEN**

Loesje

Brussel tillen:
ik had nog nooit zo veel niet-bestaande projecten lopen.

KLEINE FRAUDEZAKEN

**HOEZO BEN IK
GEEN OFFICIËLE
STICHTING**

**het
broertje
van** *Loesje*

KLEINE FRAUDES

**VRAAG OOK EENS
EEN UITKERING AAN
IN FRANKRIJK
FINLAND
DUITSLAND
EN ITALIË**

**neef Karel
van** *Loesje*

VACATURE

UW FUNCTIE OMVAT

HET BEDENKEN

VAN NIEUWE BANEN

BINNEN HET EU-APPARAAT

Dagboek van een baantjesjager

Week 24 – H. hoort via via dat hij ergens genoemd is voor de openstaande functie. Voor tv ontkent H. in alle toonaarden, omdat hij niet te gretig wil overkomen.

Week 25 – Bevestiging van hogerhand dat H. inderdaad op de officieuze longlist staat. H. blijft echter ontkennen naar de buitenwacht.

Week 26 – De media hebben hun eigen tipgevers en weten van de longlist. H. geeft schoorvoetend toe dat zijn naam wel eens genoemd is.

Week 27 – Binnenkort wordt de officiële longlist bekend gemaakt en H. is zenuwachtig. Zijn werk en vrouw lijden daar wat onder.

Week 28 – H. staat op de officiële lijst! Feestje. Niet te overdadig, omdat er nog een lange weg te gaan is.

Week 29 – De Europese leiders komen bij elkaar en gaan het informeel over de shortlist hebben. H. belt elke dag even met Brussel om te horen hoe het ervoor staat.

Week 30 – H. hoort dat hij op de shortlist staat. Sommige leiders vonden hem zelfs de beste kandidaat. Voor tv doet H. wel wat onverschillig, maar vanbinnen juicht H.

Week 31 – H.'s naam begint nu wel echt naar voren te komen. Van een paar buitenlandse collega's hoort hij dat hij bij hen in het journaal ook al is genoemd.

Week 32 – H. verschijnt in hét parlementair programma en voelt zich zeker van zijn zaak. Hij klapt voorzichtig uit de school. Direct erna krijgt hij een telefoontje dat dat helemaal niet zo handig was.

Week 33 – H.'s optreden is inderdaad in slechte aarde gevallen. Andere namen beginnen nu ook naar voren te komen.

Week 34 – H. loopt het kantoor van de nationale leider binnen en hoort hem nog net aan de telefoon zeggen: "Ja, ik begrijp het. Het is niet anders..."

BAANTJES VERDELEN

BENT U AL GENOEMD

Loesje

**IN BRUSSEL
SCHIJNT ALLES
OM GELD TE DRAAIEN**

Loesje

**IK ZOU GRAAG
MIJN STEENTJE BIJDRAGEN
AAN EUROPA
MAAR IK HAD EEN 5
VOOR DECLAREREN**

Loesje

Europarlementariërs:
"Beter te veel gedeclareerd dan één bonnetje bewaard."

INTEGRATIE

BRUSSEL TIL JE BETER
DOOR INTERNATIONAAL
SAMEN TE WERKEN

Loesje

BRUSSEL TIL JE NIET

DAT LEEG JE

Loesje

NIEUWE LIDSTATEN

**EN TOEN BLEEK
DE CORRUPTIE TOCH
GROTENDEELS
IN HET WESTEN TE LIGGEN**

GERUCHT

DE EERSTE EU-TOP

MET DE NIEUWE LIDSTATEN

BEGINT MET EEN CURSUS

KONTJE KUSSEN

Zeg, nu dat Europa steeds maar groeit,
moeten we dan niet eens wat meer de basis organiseren?

»GOEDE EU-TOP

LEKKER GEGETEN

FLINK GELACHEN

EN NIKS BESLOTEN«

Loesje

Nieuwe nepoplossingen voor Europese problemen:

Stabiliteitspact: "Als we nu een deel van ons begrotingstekort eens in de schoenen schuiven van al de thuislanden van de migranten die hier wonen en dus ook gebruik maken van ons sociaal stelsel."

Milieu: "En waar een tekort is aan groen, simuleren we gewoon wat natuur."

Werkloosheid: "Kunnen we die statistieken niet gewoon in de fik steken?"

Toetreding nieuwe landen: "Ze kunnen toch allemaal een halve eurocommissaris leveren."

Europese eenheid: "Kunnen we niet, naar Oudhollands gebruik, met de leiders bij elkaar gaan zitten op vijf december en elkaar belachelijk maken in ondeugende gedichtjes, maar elkaar dan toch een cadeau geven?"

Fraude: "Die boeken we gewoon onder het potje onvoorziene kosten."

EU

JA

ALS JE HET ENG VINDT OM

VERANTWOORDELIJKHEDEN

TE NEMEN

BREEK DAT INSTITUUT

DAN METEEN AF

Gerucht:
in Brussel is het populairder om eurosceptisch te zijn.

EU

**MACHTSBLOK
AAN HET BEEN
VAN MILJOENEN**

**HET VOORDEEL VAN
EEN EUROPEES LEGER
IS DAT BIJ HET
UIT DE HAND LOPEN
VAN EU-TOP-RELLEN
NIET ÉÉN LAND
VERANTWOORDELIJK IS**

Loesje

EUROPEES LEGER

**PIEF PAF POEF
IN 23 TALEN**

Loesje

EUROPEES LEGER

**NORMEN
EN ZWAARDEN**

Loesje

Een nieuw Europees leger
vraagt om nieuwe strijdliederen:

Kom makkers, trek ten strijde
voor een sterk Europa, één.
Verlos die stakkers uit hun lijden
en zend die terroristen heen.

**EN DE LANDEN
DIE GEEN EUROPESE
DEFENSIEMACHT WILLEN**

**VALLEN WE BINNEN
MET HET LEGER
DAT ER IS**

Loesje

EUROPEES LEGER

**DESERTEREN
WORDT OPEENS
EEN STUK MOEILIJKER**

Straks heeft Nederland vier legers:
VN, Navo, Europees leger en een nationaal leger.
Moet ons parlement ook vier keer nee zeggen
tegen deelname aan een oorlog.

EUROPEES LEGER

OH

WE HEBBEN NOG WEL

ERGENS 100.000

BOZE BOEREN

ZONDER SUBSIDIE

STEEDS MEER BOEREN

WILLEN WEL IN BRUSSEL

KOMEN SCHOFFELEN

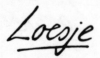

Vrede:
bij militairen lijkt het me toch wel noodzakelijk
dat ze ook nog een ander beroep beheersen.

Oorlog oké, maar niet op woensdag en zeker niet in Enontekiö. Nooit meer oorlog tussen de sparren en het mos. Regeringsleiders zouden hier vaker met hun blote voeten op het mos moeten staan. Wat een veerkracht, wat een vrijheid.

Wereldvrede op woensdag zou een begrip worden en de koopzondag verpletteren. Niets is opgewassen tegen gedachten en idealen uit sparrenbossen.

Het wachten is op de Enontekiö-accoorden.

NATUURLIJK VALT
DE WERELDVREDE OP WOENSDAG
ANDERS ZOU DE WAARHEID
TOCH NIET IN HET MIDDEN
VAN DE WEEK LIGGEN

Loesje

WOENSDAG
WERELDVREDEDAG

EN EEN VERBOD
OP DE ZESDAAGSE
OORLOGEN

Loesje

GELUKKIGE
WERELDVREDE
WOENSDAG

Stuur ook eens een kaartje naar je eigen parlement.

**IK STEM ALLEEN
OP WERELDVREDE
ALS DIE
OP WOENSDAG VALT**

Loesje

Hoi iedereen,

Terwijl ik dit schrijf, zijn jullie waarschijnlijk net aan het lunchen. Dan zullen jullie misschien in het klein meemaken wat ik hier ervaar. Als ik het goed heb, ligt de koelkast nog vol met die Slowaakse rookkaas, dat potje jam dat de moeder van dat Zweedse meisje hoe-heet-ze-ook-alweer had meegegeven, die Hongaarse salami van dat reisje waar de vegetariërs nog zo ver-deeld over waren en die Turkse olijven. Gewoon uit de Turkse supermarkt, maar toch. Nu is eten wel een erg makkelijk cultuurpunt, maar als ik hier om me heen kijk, zie ik alle culturen ook zo. Het is duidelijk vakan-tie en er zijn hier mensen uit alle windstreken.

's Avonds op de camping al drie keer gedacht dat ik Nederlandse families als buren had – akelige kindertjes die veel schreeuwen – maar dat bleek drie keer fout. Het zal wel een algemene kwaal zijn. Verder bleek de Engelsman-met-gitaar niet stijf te zijn, alhoewel ie toe-gaf dat z'n broers iets minder los waren, en sprak de Fransman zowaar Spaans en Engels. Niet accentloos, maar dat doet niemand hier. Zelfs de Engelsman niet, al weigerde hij dat toe te geven. In ieder geval, het is hier leuk. Leuker dan Brussel, internationaler dan Straats-burg en eigenlijk ook gezelliger dan op de meeste inter-nationale demonstraties, omdat je hier weer eens andere mensen tegenkomt. Mochten jullie langs willen komen, gewoon een bordje ARDENNEN maken. Zo ben ik hier ook gekomen. En neem dan meteen een woordenboekje Deens-Engels mee, dan snappen we die grappen van die Deen misschien een beetje.

EU

**DE BESTE CAMPING
KRIJGT 25 STERREN**

Loesje

**ALS DE EURO
ZO BLIJFT STIJGEN
IS HET VOORDELIGER
OM BUITEN EUROPA
OP VAKANTIE TE GAAN**

Loesje

MET DE CARAVAN
DOOR DE SAHARA

TOCH ZIJN WE
NIET ALLES GEWEND
ONDANKS HET
EUROPESE WEER

Deze caravan rijdt niet verder dan de EU.
Voor intercontinentale reizen
dient u hier uit of over te stappen.

**STEL
JE KUNT ALLEEN MAAR
IN JE EIGEN BED SLAPEN**

**MAAK DAT DAN
ZO MOBIEL MOGELIJK**

NEDERLAND

**HET ENIGE LAND
WAAR DE AARDAPPELEN
OOK OP VAKANTIE MOGEN**

Als één Europa op de kaart:
jammer, nooit meer om domme toeristen
kunnen lachen bij de vakantieman.

EUROPA

NU IS BENIDORM
OOK ECHT VAN ONS

Het lijkt allemaal zo onschuldig, maar achter het kolo-
niseren van alle kusten in Zuid-Europese landen gaat
een geheime bejaardensamenzwering schuil. Bejaarden
uit alle landen hebben zich stiekem al jaren voor de EU
verenigd.

TOEKOMST VAN DE EU

DE KEUZE TUSSEN IMMIGRATIE
EN EEN BEJAARDENKOLONIE

Waar blijven de migranten
maak ons jong en maak ons rijk
in rotten van vier aan de grens
maak ons sterk en oprecht

waar blijven de migranten
maken zij Europa één
of staan ze aan de zijlijn
van weer een ineenstortend rijk

FORT EUROPA

**ANDERS KOMT ZO DADELIJK
90% VAN DE MENSEN
IN DE WERELD
NAAR 90% VAN HET GELD**

Loesje

FORT EUROPA

**DISNEYLAND
VOOR DE
BUITENGESLOTENEN**

Loesje

FORT EUROPA

HET WACHTEN IS
OP DIE SCHONE
SLOWAAKSE
JONKVROUWEN

het
broertje
van *Loesje*

FORT EUROPA

GEEN BURCHT
IS
ONNEEMBAAR

Loesje

Fort Europa: met snellere paarden graag.

VERDONK

**»HEBBEN WE GEEN GELD
VOOR EEN MUUR
OM EUROPA«**

**BIJ HET GEMEENTEHUIS
IS HET SUPERDRUK GEWORDEN
NU IEDEREEN VRIJ IS
OM Z'N GRENZEN
AAN TE GEVEN**

Loesje

CONTINENTAAL ZWERVEN

ALS UITGEPROCEDEERDE
ZOU IK HET OOK WEL WETEN

Een zwerver herkent men aan zijn ver-
mogen te zeggen wie hij is en hoe hij
heet zonder zich af te vragen of hij wel
recht heeft op een uitkering of uitzetting
uit zijn bestaan.

»PARDON
IN NEDERLAND IS
DE KNAPZAK VERBODEN
HIER DIENT U OP Z'N MINST
EEN RANSEL TE HEBBEN«

Loesje

CONTINENTALE ZWERVERS

**HET ERGST ZIJN
DIE ZAKENMANNEN**

Loesje

**CONTINENTALE
ZWERVERS**

**ZO IS C&A
OOK BEGONNEN**

Loesje

Zwerf rond en stamel
proef eens een andere cultuur
bedenk zelf een excursie
want zwerven is niet eens zo duur

Niemand die me had verteld
dat je bij buiten slapen wel verdacht moet zijn
op optrekkende dauw.

GELUK

    ZOEK JE NIET

DAT ONTDEK JE

Loesje

Gaat ie hier weg als zwerver,
heeft ie twee jaar later
het grootste youthhostel in Vilnius.

ZOEK DE VRIJHEID

VAN DE ZON

EN DE STERREN

TEGELIJK

"Ik wou dat ik onder water waaien kon." Deze woorden schreef ik op, toen ik 20 januari 1949 een lege fles wijn in het Middellandse zand wilde steken. M'n vriendin en ik hadden besloten na een romantische nacht aan zee uit elkaar te gaan. De wijn was op, de ochtend was er al en ik bleef alleen achter. Ik las de wens over, stopte 'm in de fles en gooide die het zoute water in.

Laatst las ik een berichtje in *Metro*, toen ik op weg naar mijn kleinkinderen was: "Flessenpost komt na 55 jaar aan in Hoek van Holland." Het bericht verhaalde over wind en water en dat er een windmolen zou worden geplaatst. De Nuon vond mijn boodschap op het briefje namelijk wel een mooie slogan.

Ik heb mijn lief nooit meer teruggezien. Maar misschien zie ik haar vrijdag wel, als ik een nachtje alleen aan zee zal zijn.

EUROPA BEGINT

TOCH BIJ

HOEK VAN HOLLAND

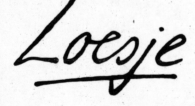

VISIE IN EUROPA

**TIJD OM DE BRIL
TE POETSEN**

Loesje

**MET ALLE NEUZEN
EEN ANDERE KANT OP**

ZIE JE VEEL MEER

Loesje

Wie alles wil zien,
moet voortdurend in het rond dansen.

VISIE IN EUROPA

**ALLEEN DAT WORDT
NOOIT VERTAALD
IN BELEID**

TOEKOMST

**DE MEESTE EUROVISIONAIREN
ZITTEN NOG WERKLOOS THUIS**

Visie in Europa:
hadden we daar niet... eh...
hoe-heet-ie-ook-alweer voor?

VISIE IN EUROPA

**DAARVOOR MOET JE
TOCH ECHT BIJ
DE ONAFHANKELIJKE
DENKERS ZIJN**

Loesje

Hoi,

Groen om mij heen, groen in mijn hoofd en groen in de toekomst. Ik voorzie grote tijden van groenheid in Europa.

Weet je nog dat hofje in Orléans, waar we al die weken dat we samen waren, elke dag weer langsliepen? Daar zit ik nu in. Ik dacht: ik waag de gok en bel aan bij het huizenblok dat erbij hoort. Toen er een oudere heer opendeed en ik hem vroeg of ik even in het hofje mocht zitten, vond hij dat goed. Later op de middag kwam hij zelfs wat worst en kaas en brood en wijn brengen. Dit alles bracht me in een nog grotere mijmerstemming dan ik al was. Zo tussen het groen van het hofje en de mijmeringen in mijn hoofd moest ik opeens aan de toekomst denken. Waar moet dat heen met de wereld? Of, om dichter bij huis te blijven, waar moet dat heen met ons Europa?

"Ons Europa," hoor ik je afvragen, "was jij niet altijd zo eurosceptisch?" Dat klopt, maar ik kan toch niet ontkennen en zeker niet tegenhouden dat ik in Europa leef. Dat het mijn thuiscontinent is.

Welnu, ik maakte me wat zorgen over de toekomst. Maar tussen de zorgen door zag ik ook het hofje. Zo in de zon, liggend op het gras, leek er weinig een zorgeloos leven in de weg te staan.

Mijn eigen leven is hier misschien wat minder interessant, maar de wereld en met name Europa des te meer.

Tien nieuwe landen, met miljoenen mensen, die allemaal weer andere normen en waarden hebben. Nu hoeven we echt nooit meer alleen en om zes uur te eten. En nog twintig jaar en er zijn nog eens een boel landen bij die Europaclub. Ook weer met al die mensen en al die nieuwe gedachten.

Of het milieu. Door het intrekken van meer en meer landbouwsubsidies zullen er steeds minder boeren komen. Dan zal de natuur wel weer delen land terugveroveren op de mens. Kortom, mijn beste, alles is nog niet verloren.

Blijf vrolijk en hou de pret.

Groeten.

ÉÉN EUROPA

IK VERHEUG ME NU AL
OP DE VOLKSUITWISSELINGEN
VAN DE 21ᵉ EEUW

TIJD VOOR DE GROTE
VOLKSUITWISSELING

ALLE VOLKEREN
ÉÉN LAND DOORSCHUIVEN

TEGEN DE KLOK IN

Europees referendum over de plaats van Europa:
wie is er voor dat we voor 25 jaar continenten wisselen
met de Australiërs?

ÉÉN EUROPA

ZODAT JE
MET ÉÉN STAATSGREEP
KLAAR BENT

Stel je voor: je bent tussen de 15 en 25 jaar en je hebt een idee met een paar vrienden waar je echt iets mee moet, kunt en wil doen en die mogelijkheid bestaat ook nog eens!? Of je wilt een tijdje in het buitenland wonen?

Dan ben je hier aan het juiste adres:
http://www.loesjeandeurope.org

Nu ook verkrijgbaar van A.W. Bruna Uitgevers B.V.

Loesje

Ga je mee oproer kraaien

Een cd-rom met:

20 jaar posters | screensavers | e-mailhandtekening | Loesje bureaublad

Ga je mee oproer kraaien. Voor iedereen die een kritische blik op de laatste twee decennia zoekt. Voor iedereen die nog op zoek is naar die ene poster. En voor iedereen die z'n kamer nog 's opnieuw wil behangen.

isbn 90 229 4916 8

adviesprijs EUR 7,95

Verkrijgbaar bij boekhandel, warenhuis en via
www.loesje.nl

Kijk ook op www.awbruna.nl